타이피스트 시인선 003

천국어 사전

조성래

타이피스트

시인의 말

안개를 걷으려고
칼을 휘두르며

2024년 4월
조성래

차례

1부

무인도

무인도

무엇이든 용서할 수 있을 것처럼
흰 것들은
희구나

언제부턴가
착한 사람을 만나면
미안할 일이 닥쳐올 것만 같은

하얀 구름
하얀 파도

아무런 악의도 미움도 없었는데
심지어 사랑도 없었는데

한 사람이 자신의 시신을 끌고
해안선을 따라가네

연락

비 오는 날 카페에 앉아
빗소리를 듣는다

물 깊은 곳
이대 삼대에 걸쳐
슬픈 넙치들은 자라고

망망히 비 맞는 수면
남몰래 눈물바다가 되기도 하지만

전화기를 든다
순간이라네 모든 것은 그저
고막,

그곳에서의 차원 상승

주파수

스무 살 적 나는 웃으며
그 말을 다 믿었는데

스물아홉 된 이제 내가 웃으면
누구도 그걸 다 믿지는 않는다

내 입가는
그렇게 남은 것들의 소각장

사람들이 내 목소리 듣고 있을 때
그러나 그들 마음 내게

한낱 벽 너머 라디오 소리로 들릴 때
내 마음은 어느 우주로 날아가나⋯⋯

나체

누워서 한 가닥 줄을 잡아당겨도
아무것도 쏟아져 내리지 않는 여름

어디서 사랑이
사랑이 아닌 채로도 잘 있구나

나타샤

나는 내가 사랑하는 사람이 무슨 죄를 지었는지 알지 못
한다

사랑은 죄보다는
고통 편에 가까이 붙어 있는 간(肝)이므로

회복

괜찮아,

그런 음성이 들려오는 방향에는

희망과 무감각 사이 어디쯤에서
흔들리는 눈동자가 있다

환자들의 시선이 닿는 곳마다
얼음 한 조각 떠 있다

달그락달그락
누군가 얼음을 굴리기도 한다

냉장고 속에는 팔과 다리
온통 휘적거린다

문이 열리면 급속 냉각된다

창밖에는

뒤척임만으로도 숲을 이루어 낸

침엽수들이 있다

2부

창원

자유무역 3공구 정류소에서

증기선이나 합승 마차, 철도 등이 지상의 운송 수단이라면
콜레라, 결석, 결핵, 암 등은 천상의 운송 수단인지도 모른다.
늙어서 평화롭게 죽는다는 건 별까지 걸어서 간다는 것이지.
— 고흐가 테오에게 보낸 편지

K가 사라진 이후 내 영혼은 그대로 허공에 업힌 자세다
몸만 멀쩡히 길거리를 돌아다닌다 밥을 먹는다 가끔 친구를
만나 웃다가 또 울지만, 내 영혼이

없는 그의 등에서 떨어지지를 않는다 나는 결코 이 사람
을 사랑한 적이 없다고 생각했는데, 왜 이런 일이 벌어진 걸까

한 책에서 니체는 달리는 마차에 뛰어들어 죽는다 비쩍
마른 말에게 채찍질하는 마부를 말리기 위해서였다 그러나
이것은 니체가 무척 아플 적의 일화와 그의 죽음을 짜깁기
한 이야기에 불과하다 그는 누구보다도 반듯한 자세로 누워
죽었을지도 모른다 이 책이 발간된 이후, 마차로 돌진하는
자세의 영혼을 지닌 니체가

어떤 이들의 상상 속에서 끊임없이 반복되고 있다 병상에
누워 있는 피투성이 니체의 발작적인 기침은 매 순간 마차
로 뛰어드는 영혼을 가진 자의 몸부림 같다 이 열악한 장면
이 그들에게 작은 위로가 된다 어쩌면 마음속 한 사람의 불
치병이 오래오래 지속되길 바라는, 조금은 추악한 마음일지

도 모른다

영혼이 어떤 자세를 지속하거나 반복한다면 결국 몸이 그
것을 따라 하지 않고서는 견딜 수 없다 이를 견디는 자들의
얼굴은 딱딱하게 굳어 아침 여섯 시 이른 통근 버스를 탄다
누구도 그 부동자세의 침묵을 깨트리기 어려워 보인다

그러나 낯선 인사 한마디에도 그들의 예민한 친절이 화들
짝 선잠을 깨고 마는 것을 나는 보았다

이런 인사치레는 일견 아무런 깊이도 없는 교감에 지나지
않아 보인다 오히려 조금은 귀찮고 불편한 일인지도 모른다
그러나 나의 영혼이 어느샌가 K의 없는 등에서 내려와

내 몸의 걸음에 맞춰 어색하게나마 함께 걷고 있다는 것
을, 문득 알게 되었다 이 고마울 정도로 사소한 엇박자, 서서
히 콧노래가 흘러나오던 출근길……

통근 버스 속 시간에 이 회복의 기점이 있다고 나는 생각

한다

23

한다

완싱°

시청에서 문자가 온 날 거리의 사람들은 모두 마스크를 하고 있었다 성산구라면 일진테크가 있는 봉암공단과 이웃해 있는 동네, 큰일 났구나 나는 내가 보조로 있는 라인의 용접공 필리핀 소녀 윤희를 떠올렸다 하루아침에 공장을 멈추는 힘이란 대체 무엇일까 공장도 숨이 멎는다니, 눈사람 녹듯이 사라져 버린 사람들의 자리마다 남아 있는 목장갑에 대해 생각하며, 편의점마다 비어 있는 하얀 마스크의 자리를 떠올리며, 나는 내가 숨이 멎는 상상을 해보았다 완싱(万幸), 공장이 숨을 멎는 일보다 숨 막히지 않았다

° 완싱: '다행이야'라는 뜻.

이제와 저희 죽을 때

간이 변기가 놓인 거실에 어머니라는 불이 꺼질 듯이 누워 있다 소파엔 장작같이 마른 목소리의 묵주 기도문을 틀어 놓고 동생이 졸고 있다 천주의 성모 마리아님 이제와 저희 죽을 때에…… 나는 어머니에게서 옮겨붙은 불을 백지상태의 이력서, 연애편지 따위를 조용히 태워 버리는 데 썼다 자정 너머 거실 한쪽을 환하게 밝히는 초, 엄마라는 불이 사후에서도 번쩍이는구나 동생은 마른 잎사귀 한 포대 지고 오는 꿈을 꾸었고 나는 그 꿈 바깥에서 저 불이 꺼진 후를 생각했다…… 모닥불 앞에서 꺼져 가는 잔불이라도 바라보듯 엄마의 얼굴을 향해 살가운 이야기를 툭, 툭 던져 보기도 했다 퇴원 안내문, 복약 지도서, 이혼 서류 같은 종이 뭉치들이 거실 서랍 속에서 가볍게 서로를 짓누르는 동안, 알 수 없는 단 하나의 명백한 사실로 서 있던 초, 그때 우리 모두는 각자 옥상에서 떨어지는 간단한 사물이고 싶었던 거다

돌멩이 유물론

— 화장실에서 생산라인으로 돌아가던 시간 내 코피가 공단 오수에 섞여 흩어지고 있었다 퇴근길에는 그 새까만 하천 곁을 걸어서 갔다.

다른 이의 겨울 입김 속에서 굳어지고 말던 나의 소원도 내가 주워 온 돌멩이였다 그건 희망 같은 게 아니라고 손바닥 좀 열어 보라던 사람들 이 주먹 속의 따뜻한 온기를 당신들은 모르지 모를수록 어쩐지 기쁘기까지 해서 더 깊이 외로워진다 호주머니에 두 손을 찔러 넣고서 유행하는 최신곡을 불러 보기도 한다

그런다고 나와 성현이 형이, 구원이 태열이 필규 형님이 부르던 노래의 끝자락에 다 함께 서 있는 것은 아니었다 공단에서의 얼굴이란 아무리 환하게 빛나고 있어도 어느 날 갑자기 사라지고 없는 얼굴이었다 이곳에서의 이별이란 즐거운 섭섭함이었고 외로운 기쁨이었다 도무지 이해할 수가 없는 간단함이었다

구내식당에서 돌아오는 길, 무의미할 정도로 작고 많은 돌멩이, 우리의 발에 밟히는 한 걸음 한 걸음의 소리가 모두 달랐다 다 다르다는 걸 누가 알아줄까 그러나 **바로 거기**에 있다는 점에서 모든 돌은 유일한 존재다 그 아무 의미 없는 유일함이 왜 나 같은 인간에게 위로를 주는지, 생산라인 **바**

로 그 자리에 서 있는 이모들의 무표정은 소리도 없고 얼굴도 없는 돌멩이의 자존감이었다

　오늘도 상수에서는 깨끗한 물이 흐르고 하수의 더러운 물속에서는 죄 없는 살과 땀이 떠내려간다 어떤 여자들의 기억 속에서는 나의 돌들이 소리 없이 춤을 춘다 돌들이 지쳐 잠들면 그녀들 꿈속 나무에 돌이 열린다 저 자에게 던지지 마시오…… 푯말 걸린 나무에는 돌들이 맺힌다 아무것도 날아오지 않는 텅 빈 꿈을 꾸고 나면 어디로도 돌아갈 곳이 없는 한여름의 저녁이었다

　이름을 부를 수 있게 되는 순간 무너지는 세상이 있다 갑자기 숨이 트인 돌멩이 하나에 귀를 대고서 놀라움에 떠는 날이 오면, 이름 하나를 지어 보기로 마음먹었던 사람들 우리 모두가 그들의 작은 유물론이다 욕을 뱉으며 냅다 차버린 돌멩이 하나가 저녁이 오는 골목에 그대로 버려져 있다 아이 하나가 유심히 그걸 보고 있는 것만 같다

낙원

마산에 살 적 이성복의 시집이 좋았다 한자가 많아 사전
을 뒤져 가며 한글을 달아 놓았던 그 시집을

캄보디아 여자에게 주었다 나보다 열 살이 많아 누나라
불렀던, 밥 한 끼 같이 먹은 적이 있던 창원 여자

그녀는 밤이 깊은 공원에서 자신의 설움을 한국말로 털어
놓았다 한국의 전남편과 처음 살게 되었을 때

시아버지가 저주받은 것을 데려왔다고 인간 취급하지 않
았다고 한다 그녀는 카페에서 어린 아들과 짧게 통화를 하
고서

내가 건네준 황토색의 이성복 시집을 읽기 시작했다 아주
집중해서 오랜 시간을 읽었다 그저 예의 때문이 아니라

한자 밑의 깨알 같은 한국어를 되뇌고 이해하면서 한 장
한 장 시집을 넘기고 있는 것 같았다

용지공원의 밤은 까맣고 아름다웠다 그녀는 남편과 시댁 사람을 다 죽이고 싶었다고 식칼을 쥐는 대신

　이혼해 주지 않는 남편을 두고 도망 나왔다고 눈물 흘렸다 공장에서 그녀를 처음 보았을 때

　인도의 신화에서 온 여자가 아닐까 착각했던 커다랗고 또렷한 눈에 눈물이 고여 있었다

　어느 날은 그녀를 따라 경상대학병원을 같이 가주었는데, 머리가 아파서 미칠 것 같다고

　의사가 무슨 말을 하는지 잘 모르겠다고 내게 투정을 부리기 시작했다 나는

　그녀를 보는 것이 마지막이라는 생각이 들었다 그녀는 내 어머니와 같은 머릿속 종양을 앓고 있었다

　…… 나는 연락을 두절했다

삼 년간 세 번의 경상대학병원 생활을 끝내고 나는 어머니와 집으로 돌아와 있었다

어머니는 코끝에 누런 낙엽들을 매달고 온종일 누워 있는 나무였다 침대 옆 간이 변기에 간신히 앉아 오줌을 누는

잎사귀 몇 개 매달린 나무였다 하루 두세 번 응급실에 가지 않으면 버티질 못하는 나뭇가지였다

동생은 발작 직전의 그녀를 부축하고 집 앞 응급실을 매일같이 들락거렸다 당직 의사는 트라마돌 중독 직전이라고 더는 오지 않는 것이 낫겠다고

짜증을 냈다가, 따로 불러서 걱정스레 타이르곤 했다 나는 미쳐 가는 그녀에게 줄곧 화를 내게 되었다

누런 낙엽들 위로 코만 내놓은 엄마의 눈, 왜 오늘은 화안 내? 동생이 있으니까? 나는 살기 위하여 동생과 나를

줄다리기하는

  그 나무를 포기하고 싶었다

  동생은 나를 나무로부터 떼어 놓으려고 했다 어느 날 나
와 아무런 상의 없이, 그는 나무를 짊어 메고 요양 병원으로
들어갔다

  집에 혼자 남은 나는 광주로 가 며칠간 떠돌았다 광주의
광은, 넓은 광이었고, 미칠 광이었고, 빛 한 줄기 찾을 수 있
었으면 하는 광이었다

  순천에서 한 여자가, 집을 비워 두었으니 하룻밤 주무시
고 가라 하였다, 요양 병원에서 그들이 돌아온 날, 나는 짐을
싸 들고

  세상 어디에도 없는 도시로 도망쳤다

Man of sorrows°

스물여덟에 대학가 피시방 아르바이트하던 시절, 시를 쓰
던 내가 세상에 숨은 보석 같다던 동갑내기 실장님 두 아이
를 낳고 도배사가 되셨다

방 창문을 열면 성막교회가 오랫동안 파란 붕대를 감고
서 있다 꼬질꼬질한 은행나무들도 단독 사진을 찍어 줄 땐
나뭇잎 한 장 흘리지 않는다 대부분의 맑음이란, 구름이 누
락한 비를 다시 가지러 간 사이에 지나지 않지만

오늘은 정말로 대단히 맑음, 팔 부러져 몸져누운 어머니
나 없인 살지 못하시며 서른 살의 나 어디로도 도망치지 못
하는 신세니

나 빼고 온 세상이 이런 휴전 상태가 흡족해 웃는 모양
이다 비탈길 철조망처럼 웃는 입꼬리를 달고 다닌다고 해서
피를 나눈 가족이 적이 될 수 없는 노릇이니

웃어라, 샛노란 섬광의 늦가을 태양이 자꾸 사진기를 들
이대며 낄낄 좋아 죽는다

° 영화 <올드보이>에서 오대수가 갇힌 방에 걸려 있던 그림.

지상화

하늘의 존재에게 보이고 싶어 그려 놓은 커다란 문양 위
에서
환자복 입은 친구가 손 흔든다

비극 위에서 살다 보면
남이 겪었던 비극을 뒤져 보고 싶어서
내 눈 주위를 살피던
그는 이제 없다

방구석에서 옥편과 씨름하는 내 사학도 친구는
뒤주에 갇혀 죽은 자의 아들의
조용한 불을 연구한다

그는 모른다
내가 횃불을 들고
살아 있는 자들의 무덤을 파헤치고 다니는 이유를
산 자들의 무덤을 미리 찾고 나면 마음이 편해진다

불…… 어머니와 류이치 사카모토가 시한부 상태라고

한다

서른 살에 느낄 수 있는 슬픔에는 흰 감미료가 들어 있다
그것만은 불에 녹지 않는다 삶이 지루한 화장(火葬) 같을 때
끝에서부터 타들어 가는 종이, 불은 죽지 않기 위해서 백
지의 일부를 죽인다

가끔은 전부를

주물 공장, 사리 같은 구슬이 발견되는 재미로
캄보디아 동료와 뜨거운 불량품을 뒤졌었다
그녀마저 암 걸려 있었다

어느 날은 어떤 이를 증오해야 했는데
누구의 마음에든 불량해지지 않는 구슬 하나가 굴러다녀
서 괴로웠다

선생

외국인 노동자에게 입춘(立春)을 너는 아직 모르는 계절, 대길(大吉)을 이제 곧 알게 될 계절이라고 설명해 주었습니다

침묵이 오래되면 도리어 심장에 입이 생긴다고도 일러 주었습니다 입은 어째서 영영 입을 찾아다니는가 나는 속으로 생각했습니다

평화란 그저 병(病)이 가져다주는 새파란 꽃, 하느님이나 천사나 꽃은 병이 깨지는 일에 병만큼의 책임은 지지 않는다고도 말해 주었습니다

네가 태어나기 전부터 우주는 이미 죽은 배경복사들이 돌고 도는 어항, 배경복사는 네가 태어나 처음 울게 된 울음소리, 너를 처음 불렀던 육성과도 같은 것이라고 일러 주었습니다

파란 하늘이 걷힌 곳에 밤이 나타나는 것처럼, 외로워진다는 건 본연의 모습으로 되돌아가는 것이라고 일러 주었

습니다

별, 누군가의 기억 속에서 너 말고는 아무도 서 있지 않은 좌표가 하나 있을 거라고도 일러 주었습니다

인간은 유독 유리 너머(비현실)에서 온기를 얻어 가는 손바닥을 가졌다, 하양이 너무 넓고 끝없이 내리지 않니? 우리는 헤아릴 수 없는 것을 풍경이라고 부르는 관습을 가졌다고도 일러 주었습니다

한 사람이 광장에 온종일 서 있다면 그는 흐릿한 풍경이 되어 가는 것이라고 일러 주었습니다

단 2%의 슬픔이 꽃인 벚나무 아래 98%의 웃음이 다 지고 있다고 그가 말했을 때, 평지(平地)란 오래전 고향의 어머니께서 몸져누웠다는 뜻이라는 것을 알았습니다

떠나간 애인은 자꾸 내가 선생처럼 군다고, 선민의식이 있는 것 아니냐고 너는 참 근대 사람 같다고 일러 주었습

니다 그때 나는 3.4kg의 괴로움을 다시 느꼈던 것 같습니다

현대란 무엇입니까, 물어볼 선생도 없이 현대가 저물고
있던 근린공원의 저녁, 나는 문득 가까울 근(近) 자가 좋았습
니다 아무도 곁에 남지 않았을 때였습니다

흰 버섯

화장실 문턱에 흰 버섯이 피었다

나흘 동안 가족 누구도
이 버섯에 손대지 않게 한
힘은 무엇일까

집에 어린 화분이 많은 사람은
얼마나 세심하게
사랑을 절약하는가

어머니 가끔
유적인 듯
내 방에 오신다

(내가 나의
사형을 집행하기 위해
열고 나간 적이 있는 그 문으로)

창원

창원으로 갔다

이제 두 달도 더 못 산다는 어머니
연명 치료 거부 신청서에 서명하러 갔다

아무리 먼 곳이라도 일단 도착하면
나는 그곳과 너무 가까운 사람이었다

먼 곳은 먼 곳으로 남겨 두기 위하여
나는 아무 데도 가고 싶지 않았다

먼 곳이 너무 싫어서 먼 곳을 견딜 수가 없어서
세상의 모든 먼 곳으로 가고 싶었다

속속들이 모든 먼 곳을 다 알고 모든 먼 곳을 파악하고
모든 먼 것들의 사정을 다 이해하고 용서하는

전지하신 하느님께
합장하고 기도 올리는 성모 마리아……

파티마병원에 어머니는 누워 계셨다
빗자루에 환자복을 입혀 놓은 것처럼 바싹 말라서

아직 살아 계셨다 내 손을 잡고 울다가
자기가 죽을 것을 알고 있다는 듯이…… 그러다 조금 뒤면

자기가 죽을 것을 까맣게 모르는 사람처럼…… 내가 하나도
밉지 않은 듯이, 어제도 날 본 사람처럼 웃었다

다음 생에는 안 싸우고 안 아픈 곳에서 함께 있자고
이제 당신이 내 자식으로 태어나라고 내가 당하겠다고

당신도 당해 보라고

눈물이 끝 모르고 흘렀다 눈물 흘릴 자격이라도 있는 것
처럼
마치 자식 된 사람인 것처럼…… 그 시각 모든 일이 먼 곳
에서

동시에 벌어지고 있었다 거기선 엄마도 죽고 나도 죽고
끔찍한 날 피해 자리를 비킨 동생도

죽고 모두 죽어서

죽고 나서 웃고 있었다 모두 지난 일이라는 듯
모두 지나야 했던 일이라는 듯…… 그러나 그건

나 혼자서 듣는 소리였다

어머니는 홀로 죽을 것이며
나는 여전히 어떤 현실들에 마비된 채

살아도 되는 사람처럼 살아서
살아 있는 것 같은 사람들 사이를 걸어 다닐 것이다

3부

순천

우리는 가난한 시절

라면 스프를 조금 남겨 두었다가
밥을 비벼 주곤 하셨다는
네 부모의 이야기

그게 참 맛있다고
한번 그렇게 해서 먹어 보라고 권유하던
목소리가 떠올라서

수중에 삼천 원이 남은 오늘
마지막 남은 쌀을 솥에 부어 밥을 지었다

불그스레한 쌀밥을 앞에 두고
스프의 적정한 양에 대해 고민하다가

짜게 먹는 게 좋다던 너의 말도
또 이런 걸 쓱쓱 비벼 자식 앞에 놓던
네 부모의 심정 같은 것도 떠올려 보다가

게걸스럽게 두 공기를 비우고 나서는

슬그머니 내일이 걱정되는 것이다

그러다가 문득
네가 함께 먹은 술값으로 보내 놓은
삼만 원 돈이 번개처럼 머릿속을 스치자

요 며칠간 그것을 어떻게 살뜰히 쓸까 고민 속에 빠져들
고 그리고 또
이것을 어떻게 하면 시로 잘 써볼 수 있을지 따위의
생각들을 하고 앉아 있는 것이다

마음이 얼마나 가난하면
이렇게 살 수 있을까 마음이 얼마나 가난하면

환풍기

고시원 쪽창 앞에 달린 환풍기의 굉음이 밤마다 내 정신
에 조금씩 구멍을 냈다

나를 기어이 뚫고 들어와 놓고선, 쉽게 지나가 버린 것들
이, 군밤 속 시체처럼 내 속에 머물고 있을 때, 나는 왜 그걸
꼭 간직하고 있었을까, 아마 얼마 안 되는 기억이라고 여긴
것 같다

신께서는 구멍 난 정신마다 실을 꿰어 우정이라는 진주
목걸이를 만드시니……

나는 친구도 없이, 혹은 너무 아름다운 친구들과 함께 길
거리에서 資本主義와 民主主義
두 네온사인만 멍하니 쳐다보고 있었던 것 같다 피시방으
로 기어들어 가서는 밤새

힘없고 어리석다는 느낌을 곤죽으로, 재미로 짓이겨 놓는
일에 골몰했다

잠에서 깬 발끝에 눈부신 창문이 닿아 있다

도대체 무엇의 열기를 식히려고 환풍기는

저렇게까지 끝을 모르고 영영 돌아 버리고 있는지……

그 이유를 알 수가 없는 저 너머 사업장의 권리와

신이 세상에 기대하고 있는 권리금, 그 액수를 나만 괴로워하는 듯

외로웠다 많은 이들이 그렇게 시름하며 각자의 방에 누워 있는 것이다

우장산 고시텔 1.5평마다의 고리 손잡이……

모두가 누구의 주인인지도 모르는 채로 분명히 무언가의 주인이었다

그런 걸 모순이라고 말해야 할지 허(虛)…… 라고 말해야 할지

우리는 자신의 목줄조차 없는 빈손이 심심했던 것이다

고작 악수? 수음?

심각할 정도로 두 손이 심심해서 죽어 버린 사람들이 많았다

가벼워져라 가벼워져라 예수께서는 나귀를 보며 기도하
는 어린 선비였다 가벼워져라 가벼워져라 어디에선가 결국
무중력이 태어나고 당신 지금도 우주 한가운데 웅크리고 울
고 있으나, 왜 저기 환한 얼굴로 내게 손 흔드는 당신을 또
세워 두셨는지

　내가 손 흔들면
　당신도 저기서 손 흔드는 반가움과 슬픔
　우리는 가난한 시절,

　모두 각자의 한가운데에서
　자신만의 구멍을 생각하는 안간힘으로

　추락하지 않을 것이다

백열등은 노랗다

담쟁이, 간판, 백열등이 젖은 채로 가까이 붙어 지내는 골
목 모서리를 지난다

…… 백열등은 다른 전구에 비해 발광 효율이 매우 나
쁘다…… 중남미의 일부 국가에서는 백열등의 사용을 금지
하고 있기도 하다…… 물리학 백과를 쓴 저자가 정말로 궁
금했던 것은 애초에

백열등(白熱燈)이 왜 주황빛일까? 하는 것이 아니었을
까……

나는 아무런 가격표도 없이 누워 있었다 헨델의 <울게 하
소서>를 들으며 캔 맥주에 차가운 물방울들이 맺혀 있는 것
을 보면서 내 주머니에 섞여 들어온 프라이스 카드에 쓰인
고딕체 글자를 본다 LED 전구 4450

같은 이름표지만 왜 내 흰 이름표에는 가격 같은 게 적혀
있지 않을까 그것이 세상이 나를 존중하는 방식일까 심지어
내 이름표 뒤에는 바코드 무늬도 그려져 있다 촘촘히 서 있

는 그 침엽수들을 지나면

　첼랴빈스크에 다다를 수 있을까 블라디보스토크나 모스
크바 그 어디라도 좋을 것 같다 하얗게 눈 내린 세상 백열등
마저 흰빛일 것만 같은 세상 러시아든 소련이든 나는 도착
이라는 것을 정말로 할 수 있을까 도착하기 위하여 나는 세
상에서 가장 긴 기찻길을 지나고 싶다

　나처럼 한 번도 시를 써서 돈을 벌어 본 적 없는 동료가
시만 쓰고 살 수 있는 세상을 꿈, 이라고 말했을 때 그의 연
인도 비웃었다고 한다 그때 깨졌던 꿈들의 파편이 그대로
거미줄처럼 멎어 있다가 와르르 쏟아질 때가 있다고 한다

기타노 블루°

내가 나를 달래느라 아이스크림 하나 사주는 날이다
내가 나를 응원할 힘이 없는 날이다 내가 나를
슬퍼하기를 뚝 그친 날이다 나는
나의 밖에 내놓아졌다

내다 버린 사람의 표정과 버림받은 사람의 표정이 맞물려
대체로 무뚝뚝한 얼굴이 되어 있지만

카운터 안에서는 갑자기 농담과 상냥함이.
자연스러운 얼굴의 변화가 이상한 날이다

아이스크림을 다 먹은 내가 더 이상 안 달래 주는 나를
생각하기를 그친 날이다 고아의 눈빛이 변해서
아이 하나가 사라진 보육원의 분위기 같은 날이다

나를 쥐어박고 싶다가 가슴을 몇 대 쳐주고 싶다가 난간
위에서 떨어졌으면 하는 날들이
다 지나가 버린 날이다 폭력은 죽여도 죽여도 솟구치는
귀뚜라미들의 하수구다 그 구멍을 그냥 덮어 둔 날이다

가슴이 진정되지 않아도 얼굴이 참으로 멀쩡한 날이다
수학여행 온 한 반이 단체로 편의점을 가득 채우고 있어도
신속하게 모든 계산을 실수 없이 끝내는 그런 날이다

해치우고도 아무렇지 않은 날이다

° 일본의 영화감독이자 배우인 기타노 다케시 영화 특유의 서늘하고 푸른
색감.

동천°은 거기서 흐르고 있다

밤의 강변에서는
다리 하나를 밝히는 것만으로도
저세상의 다리도 밝아진다

얼은 영혼, 굴은 통로를 뜻한다고
마지막 날 집주인 구주 씨는 말씀하셨다

내 첫인상이 맑고 깨끗해 보였다고……

물 너무 가까이 왔다는 생각이 들면
떨어지는 운석 같은 얼굴이 보인다

내 영혼 밑바닥에도 조용한 물살이 흘러
아무것도 더러워질 수 없었으면……

지구를 내려다보는 달처럼 무감하고 싶다

수천 개의 전구가 떠 있는 옥천의 물줄기로 거슬러 오자
내 얼굴이 지극하게 세상 겉으로 드러난다

나는 나의 괴로움을
영구히 망가지게 했다
그러므로 끝나지 않는 괴로움

통쾌함의 윗니와
절망감의 아랫니 그 빈틈없음

어느 날 사랑임을 알았다 해도
사랑은 아니어야 했던 것들

어떤 죄들은 낱낱이 전구처럼 빛나고
아무것도 모르는 아이들은 오늘도 태어난다

° 순천의 아름다운 강줄기.

천국어 사전

나는 가난하고 빛은 밝고 삶은 아름답다 고통
뿐이라서 불빛들 밝고 나는 가난하다 삶은

아름답지 않을 수도 있다……

정류장 의자가 따뜻하다 어느덧 겨울이 왔다
그런 건 이유가 없어도 아픈 일이다 고통
이 와서 말 걸다 보니 나는 몇 가지 천국 말을 익혔다

아직 누구에게도 건네 본 적 없는 말들이
나의 내부를 대부분 차지하고 있었고
그건 좀 따뜻했다 『천국어 사전』이
두툼해지면 기분이 좋다

오늘 내리지 않은 소나기는
도시가 도시 자신에게 쏟으려던 눈물이다
그런 것을 사라진 비구름,

혹은 슬픈 객관화라고 한다

외로움은
자신의 객이 되는 것이다
눈 감은 자신을 내려다보는 것이다

정류장 의자가 차가운 날
서 있다가 알았다

고통은 늘 서 있다
빈 버스는
전 좌석이 외롭다

담양

다친 길고양이가 따라오면 내 뒤의
전 세계가 아프고

녹슨 컨테이너 아래 민들레는
다시 한번 잃을 준비가 되어 있다

멀쩡하게 서서
그것들을 바라보고 있는 것만으로도
악이 된 기분이 든다

현실이라고 하는
말도 안 되는 자기 자신은

밤 고속도로 위의 불빛 같은
현실감 하나로 스스로를 견디고 있었다

바짓단에 무심하게
물을 튀며 지나치는 자동차

막 솟구치려던 것들이 가라앉는 순간에
차분한 목구멍은 시작되고

성림모텔 한 호실로 들어서면
어떤 회상 속에서 돌아온
자신의 얼굴과
침묵을 맞대는 것이다

쉽게 놓아준 것들보다
어쩔 수 없이 떠나보낸 것들이 더
기쁘게 지내고 있겠다

내 마음 바깥으로 드디어 나간 것들
얼마나 자유로울까
나를 괴롭히는 건 그 자유다

그 자유를 시기하고 질투해서
이렇게 한번
나도 자유로워 보기를 바란 것에 지나지 않는 것 같다

담양에 무엇이 있어 왔냐고 묻거든
대답할 말이 없는 게 좋다

신께서도 답하시지 않는 질문이 많아서
세상은 제힘으로 굴러간다

영혼을 믿지는 않지만
한 사람의 음성이 완전히 사라진 후에도
남아 있는 뼈를 믿는다

모텔 촌스러운 테이블 위의 꽃병,
그 조화를 만지면
너무 허무하고 아름다워서

실물과 관념론자의 손이 만나는 것이다
그는 이 세계를 생각하며

모든 사물이 강제로 여기 있다

누구의 아이디어도 아니다

이렇게 써본다

진흙투성이의 샛길을 걷고 있어도
담양의 봄은 아름다웠다

세상의 진리란
한낱 나 따위의 이해를 바라는 것이 아니겠지

아침 죽녹원
평화가 깃들어 속 깊이 시퍼레지는

대숲이 흔들리고 있다

공의 행방 2

컨베이어 벨트 앞에 서서 분주한 손가락으로 졸던 시절, 흘러내린 내 미간의 나사를 하느님이 가져가서 어디론가 영영 숨어 버렸지만, 나는 새끼 고양이 숨어든 풀숲이나 들여다보고 있었고

오늘은 어디로 가는지 언제 돌아오는지도 모르는 채로…… 나는 그럭저럭 잘 운행되고 있었다…… 누가 나를 운전하는지

그런 건 이미 세상 아무도 모르는 얼굴들로, 거리가 붐볐고 나는 올리브영 같은 데나 들어가 냄새도 모르는 향수를 사고 스프레이를 샀다, 거울을 보며, 이제 진짜 스무 살의 내가 떠나갈 채비를 하는구나,

싫었고…… 나는 그에게 쥐어 줄 반듯하고 새로운 부품이 없었다 온 세상이 다 가져가 버렸다고 억울한 심정으로 탓하고 싶어도 거울,

오직 저 청년만은 어쩐지 나를 이해해 주는 눈빛 같

아…… 그렇게 중얼거리고 싶었다 매년 염세와 분노와 역겨운 자기 미화에

　모든 비용을 지불하느라 나는 내게 마음의 가난을 물려주고 있었고 가난은 자본처럼 이자처럼 부풀어 올라서는

　점점 감당하기가 어려웠다 그렇게 나는, 점점, 나를 내버려 두는 사람이었고, 아무도…… 나를 이해할 수 없다, 는 그 심정의

　따뜻한 온기와 독기로 나는 병들고, 병든 채로 나를 간호하고 있었다 나는 온종일 피시방에 눌러앉아 얼굴도 모르는 이들에게

　화내고 있었고 그건 겨우 공놀이였다 신이 진노하실 때마다 나는 그냥 공놀이였고 파도에 휩쓸려 간 인도네시아 사람들도

TV에서 보면 그냥 공놀이였다

그 누구도 억울하지 않게

내가 얼마나 나를 미워하는지 그것과는
얼마나 상관없이 나 잘도 살아가는지

늦은 밤 골목길 지나며
그릇 달그락거리는 소리가 부러울 정도로

나는 이미 어딘가가
돌이킬 수 없을 정도로 무너졌다

마음 없이는 아무것도 못 하는 빈 깡통이 자라서
나 같은 시인이 되는 거겠지

나는 아무도 못 돕고 산다
겨우 나 하나를 위해서

슬플 때 듣는 바흐며 헨델도
구역질이 나는 향락,

사람을 사랑하지 못해서

이렇게 써놓은 시편들도

내가 볼 때만 반짝거리는
하수구 속 금속 단추

나는 아무것도 가진 적 없지만
언젠가 모든 것을 잃어버릴 것이며

그 누구도 억울하지 않게
내게서 사라지는 것들 때문에

세상의 공기는 조금 상쾌해질 것이다
그런 믿음이 있는 곳이

내 몸에서 유일하게 깨끗한 부위다

그렇게 죽음은 내 안에서 일가를 이루었고
나보다 더 잘살고 있다

물속 가장 낮은 곳에 가라앉아 보면
삶이 나를 배신한 게 아니다

삶을 배신한 건
둥둥 떠오르는 나다

대천사 나르키소스

나타샤는 자신을 악마라고 생각하는 천사다
그래서 지수도 그가 천사인 줄을 모른다

자기가 천사인 줄 모르고 사는 사람들이
서로가 천사인 줄을 모르고

혼자서 화를 내다가
혼자서 울고 있다

무너지지 말아요,
그건 이미 누군가 무너진 뒤의 허공에 떠 있는 소리

나는 그 버튼을 눌러 보고 싶다
무너지지 말아요,
무너지지 말아요,

듣다 보면 왜 내가 위로되는지……

나 자신을 위한 말이 아니었던 것들이

얼마나 나를 위하고 있는지……

거울을 볼 때 나는
세상에서 가장 불쌍한 천사를 보고 있는 것

그러나 나 자신이 악마라는 생각을 놓치면
어쩐지 돌이킬 수 없을 것만 같다

지수는 말했지,
순수를 동경하는 것만으로도 당신은 천사예요

내가 진짜 악마인 줄도 몰랐던
지수의 순수가 얼마나 강했던지,

그날 비는 내리다가
더 퍼붓기를 스스로 포기했다

그런 갠 하늘을 올려다보면
천사란 천사는 모두

폐허에 살고 있는 것 같다

4부

부천

나는 나의 야만을 모른다

송내역 출구 한쪽 구석에 이불을 아무렇게나 펼쳐 둔
그의 집은 철거되었다 8M가량의 폴리스 라인만으로도
그는 졌다 맥주병을 들고 지나가는 시민들을 향해
아무나를 향해, 누구도 아닌 빈 곳곳을 향해, 세계를 향해
덜떨어지는 언어 구사력으로, 할 수 있는 모든 욕설과 위협을
날리고 있다 아무도 못 노려보는 충혈된 눈으로
잔뜩 세상을 노려보면서……

천 원짜리, 백 원짜리 가득한 바구니를 두고
온종일 퍼질러 자는 그를 보면서
나는 시민으로서 괘씸한 기분을 느낀 적이 있다
8M가량의 폴리스 라인만으로도 충분히 표현되고도 남을
아무것도 아닌 괘씸함을……

그 앞을 오가는 인간이라는 실험실 속엔 아무도 없었다
그렇게 모두 빈집이었다 문을 두드리는 방식이 잘못되었으면
손쉽게 폭력으로 규정되어 버리는 빈집 속에서 모두가 각자

숨죽이며 웅크리고 있다

기억나지 않는 대화

……가 (공격받던 시절이 지나자 사람들은 무기를 잃고 흩어져
어디서 조용히 각자 두들겨 맞고 있었다 꼭 그런 일이)
필요했다
고 누가 그랬었나……
누군가는 대견하다고, 손에 오만 원을 쥐여 줬고 또
누군가는 이유를 모르겠다고 연거푸 마시다가 울었는데,
나는 그때마다 그 자리에 없었던 것 같다

그냥 단지 다시……
……을 데리고 와 우리 모두를 대신하여
실컷 두들겨 맞게 하고 싶었던 것 같기도 하다

사람들이 사람이 죽어도 괜찮다고 생각한다

부도덕한 사람의 마음속에
한 점의 도덕이 있는 것을
도저히 참을 수가 없다는 듯이

깨끗한 사람의 마음속에
한 봉지 오물이 있는 것이
정말로 찢어 죽여 버릴 죄인 듯이

사람들이
사람이 죽어도 괜찮다고 생각한다
(나는 이제 더 이상 무엇이 폭력인지 분간이 가지 않는다)

그러나 다시금 드는 생각…… 사람들이
사람이 죽어도 괜찮다고 생각하는 것이다……
(계속 그렇게 생각하다 보면
어쩐지 이상해지지 않는 생각들의 이상함)

그리고 그해에는 정말로 많은 사람이 죽었다
나는 아무 말도 하기가 어려웠다

시에는 (　)가 있으면 안 된다고……

나는 고개를 끄덕이며
그들 가운데서
고개를 끄덕이고 있는 내가 무서웠다

폭력의 노래

어느 날 피투성이 돼지가 두 다리로 걸어와서
나한테 왜 그랬느냐고
또박또박 따지고 묻는다면
나는 정말로 무고한가?

어느 날 쓰러진 벼들이
불타는 장작이
내게 큰 소리로 고함친다면?

……

그러나 굶주림도 폭력이고
무식이,
무지가 폭력이고
알고 있는 것만으로도 폭력이고
때로는 아무것도 하지 않은 것이
폭력이고

진화와 우월과 고등이 폭력이고

미워하지 않아도 미안하지 않아도
되게 된
완벽한 망각이
바로 거기 있어도
그 무(無)가 폭력이고
누군가를 아직 살아 있게 한
의료 기술이 폭력이고

이 세상에 죽음이라는 끔찍 당연한 사실이
버젓이 돌아다닌다는 게 폭력이고

어쩔 수 없었다는 말이 폭력이고
정말로 어쩔 수 없었던 그 사실 자체가 폭력이고

우주라는 원죄의 시뮬레이터가
하나의 폭력 기계며

폭력을 노래하는 나의 혓바닥이 폭력이고
폭력을 미워한다는 당신들의 말이 내게는 폭력이고

거짓말이고

폭력이다 모든 것이 다 폭력이다

멍

가끔 사람을 만나
보면 누구나
이 지구 돌아가는 후유증을 앓고 있는 것 같다

너무도 거대해서 느릿느릿
돌아가는 소리
그 회전력을

아무도 두려워하지 않고
시끄러워 고막이 찢겨 터지지도 않고

웃고 떠드는 일상의
저 철판 깐 얼굴들

아무렇지 않은 표정으로 너
무슨 일이야
바라보는 친구들의 똥그란 눈

그 징그러움 뻔뻔스러움을

아무리 뚫어져라 바라보아도……

그저 소박하고 아름다운
너희의 얼굴일 뿐이라는 것이

사람을
미치지 않게 하는 힘 같다

5부

미지

몰두

흩뿌려지는
비에 대하여
턱을 치켜든 채로
우산은 몰지각하고
꼭지가 있고

꼭지는
무엇과도 맞닿아 있지 않고
빗물이 흩어져 내리는
허공 속의
결과로 펼쳐져 있고
결과의 끝에
다른 세상의 바닥은 없고

다른 세상이 아닌 바닥에
무참히 흩뿌려지고 있는 것은 비요,
그런 비에 대해 여전히
맹목적인 자세로
우산은

자신의 상승하는 곡선과

빗물의 하향하는 곡선
그 친밀한 밀착감 속에서
착각보다는 조금 더
숭고한 기분으로서의

꼭지와
꼭지에 이끌린 온몸이 살짝 곤두서 있고

그 아래
투둑 툭 툭
보호받는 나의
얌전하고 조용한 세계가
언제나 여기에 있고

눈동자

천장에 백열전구가 매달려 있다

누군가 한 번이라도 들여다본 것은
어디에서든 혼자 빛난다

모르는 집 창문에서 노란빛
사라지는 것을 본다
누군가의 머리 빗는 손을 생각해 본다

빛을 다 흘리고 난 전구들은
유령처럼
마음속의 온 도시를 떠도는데

누가 살아 있어서
그중의 하나를 만나면

어떻게든 한번은
반짝,

빛을 내본다고 하는데

무적의 식물 3

빈 화분 앞에서 기다렸다
거기 없는 것이

그다지 무성한 것은 아니었는데도
가끔 이웃들이 와서 들여다보았다

딱딱한 손가락을 내려다보며
어떻게 슬퍼해야 할지 고민하는 사람처럼
일일이 웃어 주는 일

전신주 위의 까치들,
내가 모르는 일들이
나 모르게 잘 끝이 났다는
투명한 소리들로 적막한 오후

오늘 하루 가능한 일도
불가능한 일도 일어나지 않았다는

불행과 다행의 나란함,

그런 다정함의 밤

아무도 저 뭉툭한 끝의 생장을 모른다는 게
그게 위로가 된다는 게
이상하고 기뻐서

오래도록 쳐다보게 된다

무적의 식물 1

그는 남의 집 화단 앞에 쭈그리고 앉아
제집 개에게나 그러는 것처럼
손가락을 세우고

앉아!
일어서!
하고 있다

누가 저 사람을 비난할까 두렵다 그는
그저 자신이 대적할 수 없는 식물을 이루어 내는 중일지
도 모른다

점점 기압이 높아지는
늦가을의 청명한 공기 속에서
자신을 둘러싼 모든 것들의 해방감 속에서

완연해지는 나의 선인장

나는 나의 선인장을 응원하지 않는다 다만

해방감이라는 어감에 대해서는
가만히 의심해 보는 것이다

적당한 두께 적당한 중력 적당한
그 어떤 능력들의 조화로
어느 홈에 정확히 안착하고 있는 둥근,

눅눅한 부위에 대해 생각한다

무적의 식물 2

형태가 갖추어지고 나면 불길하다
그것이 웅덩이의 마음
무엇이든 떠올릴 수 있게 된다

비 오는 날 사물들은 더 무거워지지만
그만큼 생기를 얻는다
본질이라는 말의 맨들맨들함

불길이라는 아주 머나먼 길 끝에 사람이 서 있는지
없는지
알 길이 없고
한참 서 있던 곳은
이제 막 서 있는 곳이 되기도 한다

그런 걸 결심이라고 하나?

그러나 세계는 본질로만 이루어져 있지 않다
오히려 더 많은 비본질적 표피를 가지고 있다
물에 젖으면 더욱 빛나는 나무껍질,

우리의 예쁜 살갗은 그 얼마나 본질과는 동떨어져 있는가

46억 년 동안 그 어떤 눈도 지구의 핵(核)을 직접 본 적이
없다는 순수의 모양도
그냥 둥글고

형태가 갖추어지고 나면 불길하다
그것이 노른자의 마음
알은 죽고

새는 태어난다
불길이라는 아주 머나먼 말을 향해 날아가려고

새는 형제를 짓밟고 서서 입을 벌린다
하나를 이룩한다면
하나가 죽어도 좋다는 균형으로

미래의 모든 질량은 보존된다
그것을 모성이라고 하나?

세계라는 안전한 금고 속에서

폐쇄 공포를 앓는 것이 영혼이라면
무족영원의 생김새로 꿈틀거리는

모든 욕망은 눈도 없고 팔다리도 없어서
쉽게 분노하고 쉽게 짓밟힌다 지하에서

지상으로 기어 올라온 손가락을 본 적이 있는가
시선이 집결되는 곳에서
도착하지도 않은 두려움과 미움이 발발하고

사람들은 눈길만으로도
도처에 불을 낼 수 있는 요정으로서

난 두려웠을 뿐이에요
라는 말을 내뱉는다

모든 집단은 하나의

고래 사체 생태계
무거운 흰 뼈 앞에서는 아버지도

멍청한 물고기처럼 뻐끔거릴 뿐
지혜는 고래의 것
희망은 고래의 것

기대 수명을 살고 가라앉는다

유령

책이 사라졌다

내 책 하나가 아니라
세상 모든 그 책이 사라졌다

동화구연사 할머니가 죽었다

내가 아는 할머니뿐만 아니라
할머니를 아는 모든 이의 할머니가 죽었다

후속 앨범이 나올 예정이라고 한다
얼떨결에 그 악보들을 입수하게 되었는데
나는 악보 볼 줄을 모른다
그런데도

버티는 것이 있다
망설이는 것이 있다
중첩된 희미함이 있다
누설되는 백색 소음이 있다

너에 대해서는 일부러 말하지 않았는데
자꾸 네가 걸어 다니는 소리가 들린다

슬픈 이야기를
아무도 들려주지 않는데

둘러앉은 모두가 아는 한 사람이 있다

6부

변명

아름다운 울화병

유행이 한참 지난 병에 걸려서, 며칠을 혼자서 앓다가, 다나을 무렵에서야 진단 키트를 사 와서, 두 줄 그어진 것을 본다, 사진을 찍는다, 찍어만 둔다, 때로 어떤 날에는, 누구에게도 필요 없는 증거가, 혼자서 필요했고, 그런 것만을 소중하다고 여기던 마음으로, 감히 누구를 사랑할 수 있었을까

외로울 때면, 나는 나의 억울에 회초리를 들었다, 마음속에 뜨거운 종아리를 세워 두고 걷는 길, 스스로 부족함을 느끼는 그림자를 발끝에 매달고서, 그가 안간힘으로 매달린 것도 모르고, 두 눈이 지워진 신처럼 땀 흘리며 하교하던 길, 그때의 저녁 태양은 몇 개 동네 너머에 이미 떠 있는 합격점이었다, 그것도 모르고 나는 나를 얼마나 더 괴롭혔나, 부스러기 가운데 놓인 뜨겁고 완전한 빵

기분이라고 하는 나의 주인이 밀린 방세를 생각하는 동안, 나는 자아라고 하는 음침한 창문을 꼭 닫아 두었다 미뤄둔 사랑 같은 건 죽어서나 갚으면 된다는 못난 생각이 나의 강장제였고 365일 닫힌 창문만이 세상에 대한 나의 인사며 대답이었다 누군가는 섭섭함을 느꼈겠고 누군가는 두려움

을 느꼈겠지만, 이 완고한 슬픔 안에서 나만큼 안전한 사람
도 없었을 것이다

  나는 제라늄이 광물인 줄로만 알았다 어느 날 이성복의
시를 보다가 그것이 꽃인 걸 알았지 그러나 그건 Pavese를
사랑하던 이성복만의 것, 나의 제라늄은 시뻘겋게 끓고 있
는 쇳물, 나의 제라늄은 내 모든 무지와 오해의 용광로 속,
올해 죽은 어머니와 내가 버린 동생과 나의 모든 질환과 먼
꿈들을 다 떠밀어 넣고서, 나의 제라늄은 여전히 끓고 있는
쇳물, 나는 이미 몇 자루의 칼을 낳고 죽은 거푸집 위에 눈
코 입을 그려 넣고,

  그것과 연애했다 나는 이제 완연한 칼, 죽음밖에 모르는
칼이 되어 겨울바람 속, 푸른 녹을 기다리고 있다

건물론

나의 무신론은 텅 빈 건물이다 신°이 나를 찾아와도 나는 여전히 다른 무언가를 기다리는 공간이다 내가 신을 바라지 않는 것은 내 몸은 피조물이 아닌 건축물이기 때문이다 피조물은 간절하며 피조물은 간절한 만큼 때로 웃을 수도 있지만 또 하늘을 올려다볼 수 있지만 건축물은 버틸 수 없음에도 불구하고 무너지지 않는 것들로, 서로 기가 막히게 꽉 맞물린 정지 상태일 뿐이다 그러므로 건물은 비가 오면 비를 맞을 뿐이다 나의 눈은 그 처마 밑의 창문과도 같다 누군가 머물다 간 자리일 뿐, 혹은 머물다 갔다는 응시의 자리일 뿐, 건물은 머물거나 허무는 것이 전부며 건물에게 그 외의 일은 없는 것이다 누군가 하늘로 올라가더라도 지상에 남아 있는 것을 건물이라고 한다 예수가, 닐 암스트롱이, 어머니가 밤하늘로 사라지더라도 남아 있는 지구라는 건축물은 여전히 둥글고 아름답다 모든 것을 버리고 새 도시로 도망쳐 온 내가 아직 그곳의 건물이어서 나는 건물 하나의 영혼이 되었다 건물이라는 육신을 두고 와 귀신이 된 자들이 투숙하는, 모텔이라는 건물의 지극한 건물성에 대해 나는 더러운 향수병을 가지게 되었다

° 그는 한 인간이 만들어 지키는 계명을 존중하시고 한 인간 스스로 꿈꾸는 미래에는 불온한 손끝 하나 대지 않으시며 감당하기 힘든 어려움 속에서 간절한 마음을 품고 야비한 기대를 은근히 내비칠 적에도 그 약점을 사냥하려 들지 않으시니 내 운명을 바라보는 그 권태로운 눈길이 닿는 곳에 성서를 집어 던진 적도 있다.

빛과 엄마

내가 서른이 되자, 멈춰 두었던 엄마는 한꺼번에 늙어 갔다 폐경이라고 하는 빛이, 엄마의 문밖에서 도사리고 있을 때부터, 나는 문을 열고 나가 버린 외부인이었다 바깥이 야말로 외로움이 기거할 수 있는 유일한 방이었다 술을 먹고 아무렇게나 뒹굴고 몸부림쳐도, 내면이라고 하는 반듯한 정육면체의 방, 그래서 더 괴로운 공간, 그 공간에 엄마를 불러오면 엄마가 외롭고, 그 공간에 달을 불러오면 그때부터 달이 외로워서, 나는 아무것도 눈에 담고 싶지 않았다, 새로운 사람을 만나고 싶지 않았다 한 번이라도 마주친 것은, 그것이 어딘가에서 달이 되어 있을 것이기 때문이다 달을 최초로 바라본 인간 때문에, 달은 그곳에 떠 있다 나는 그것을 믿는다 나를 최초로 만난 자가 어머니기 때문에, 어머니에겐 다시는 들어갈 수 없는 내부가 생겼다

나를 한 번이라도 다시 마주치기 위해 서 있어야 하는 바깥에서…… 거기서부터 어머니는 서서히 기화하기 시작했던 거다 나 이제 가는 곳마다 젊음을 잃어버리고 오는 것은, 시간이 나를 처분하기 시작하는 것이다 어머니를 모두 소진해 버린 시간이…… 나의 창문으로 조용히 불어오는 밤이다

행렬

    노란 병아리들이 따라가는 분홍 장화, 우리를 버려두고 아버지가 따라가 버린 나주의 여자처럼 성(聖)이란 누구도 건드릴 수 없는 자기만의 것이어야 합니다 예수가 없었더라도 오병이어의 기적 행렬이 지구 어딘가에 있었을 것입니다 지구에는 사랑이 무척 필요했기 때문입니다 그 옛날 오직 수성(戍城)만을 추구한 묵자처럼 늘 화살 받을 방패를 지니고 다니는 자의 환한 얼굴을 종종 볼 수도 있습니다 노란 병아리들을 따라가는 파란 장화, 그 끝은 와해일 테고, 아이는 엄마를 따라 도시로 집으로 되돌아갈 것입니다 아이도 언젠가 커서, 더는 엄마 따라 되돌아가지 않을 발목을 가질 것입니다 애인이 보기에 눈부신 그 발목을 새로운 물에 담그고, 그가 버린 모든 것들이 억울해하지 않고 슬퍼하지 않을 때까지 강물은 흐를 것입니다 구경, 때론 행복했던 집 한 채도 온통 불 켜진 채 비스듬히 떠밀려 사라져 버릴 것입니다 그리고 눈 들어 바라보는 곳에 거대한 성(城)이 솟아 있을지도 모르겠습니다

암

거품 한 겹을 걷어 내면 세상은 죽을 만큼, 죽고도 남을 만큼 슬프고 절망적인 유리판이므로 사실상 자살자들은 안개 너머의 명료한 숲, 비에 젖어 생기를 내뿜고 있는 사실 하나에 다가선 자들이다

신은 인간 하나의 쓸쓸함을 구현하기 위해 세상을 이렇게 나 크게 만들었다 모든 것이 다 필요했다 한 인간이 닿을 수 없는 저 대부분의 미지 속 불필요함마저도

그것들 없다면, 하나씩 사라진다면…… 세계는 과연 얼마나 남을 것인가? 겨우 도시 하나쯤 남을 것이다° 고향이라는 외딴섬 하나를 위해 망망대해 우주의 넓이는 필요했다고 독신자 칸트는 쓴다 내 얼마 안 되는 기쁨의 순간들을 위해 절대다수의 死物이 필요했다고……

행복을 본 적도 없는 자들이 퍼트리고 다닌 소문이 바로 행복이었고, 나는 소문 밖에 있는 것들만 골라내 일기장에 쓰면 되었다 그건 쉬운 일이었고 외로운 행복이었다 비밀…… 우리는 한 틈으로 바라볼 수 있는 완벽함을 상상

한다 그리고 그 결함(틈) 없이는 견딜 수가 없는 것이다

　너무 명료한 거울에는 죽음이 보인다 흐릿한 거울에는 미
소가 보인다 적당한 서리 낌을 위해, 손글씨를 위해, 기차는
달린다 떠나고 싶은 사람들과 떠나고 싶지 않은 사람들이
함께 달린다 점차 허벅지 따뜻해지며 자신의 체온으로 인해
死物이 변화한다는 것…… 입김 얼어붙은 결정이 손끝의 지
문에서 잘 가, 라는 물 글씨가 될 때까지 기차는 혼자서 무진
히 이곳을 오고 갔다 살면서 한 번도 보지 못할 얼굴들을 잔
뜩 태우고서…… 그것들이 진실로 모두 필요했다

　고 신은 침묵으로 일관하고 있는 것이다 울고 있던 TV
를 끄고 나면 그런 적막이 들린다 영화는 끝나고 싶지 않아
서 혼자 남은 주인공을 내세워 엔딩 내내 울었다 무던히 잘
살고 있던 삶에 암세포처럼 틈입한 화면 하나―그게 영화다
영화는 자신도 하나의 삶이라고 주장하기 시작한다 그것은
나 여기 살아 있어요! 외치고 싶었던 고시텔 204호 나의 주
장만큼 터무니없다…… 엄마의 머릿속을 괴롭히는 뇌종양
도 누군갈 죽이고 싶을 만큼, 살고 싶었을 뿐이다 암(癌)의

마음이 나와 다르지 않다

° 칸트는 쾨니히스베르크에서 태어나 100마일 바깥으로는 벗어나지 않고
살다가 죽었다.

장마

　우기에는 위에서 풀이 자라고 건기에는 밑에서 음모가 자랐다 풍덕동 동쪽 끝에서 소나기가 예보와 싸우고 있는 흐린 하늘, 검은 철제 우산 꽂이를 꺼내 놓아야 하나 대다수가 허풍이었고 과장이었던 죽겠다고 결심한 날들, 그 거친 물살 사이로 정말로 죽을 수도 있었던 날들이 섞여 함께 떠내려간다 땅이 축축하다 무언가 집에 두고 온 우산과 겨루고 있다 곱게 누운 우산 따위가 거미에겐 도저히 어찌해 볼 수 없는 세계라니 전국에서 유일하게 비가 내리지 않는 동네가 낮잠 자는 이들의 눈꺼풀 속에 있다 계산대 앞에 앉은 내 질척한 졸음 산뜻한 잠에 대한 부러움 "신은 한 사람이 다 못 누릴 만큼의 많은 것을 그의 생에 마련해 두었다 그가 그것을 자유라고 착각할 만큼의"라는 문장을 적어 놓은 영수증 뒷면 오지선다가 사라진 문제들 앞에 두고 열두 살 나는 두려워 아무것도 못 풀고 영재 교실을 뛰쳐나왔다 얼마나 많은 악마들이 자격시험을 치르면 탈락하게 될까 탈락한 이들이 평범한 중인이 되어 지구라는 동그라미를 이룬다 나는 나를 시험하지 말아 달라 지하철 1호선 가짜 예수처럼 중얼거리고 다녔다 길 한복판에서 광야의 풀이 자랐다

유고

절벽이 스스로 버티고 있다는 생각을, 아무도 해주지 않습니다 나를 기어오르는 손끝이 있었다면 좀 더 버틸 만했을지도 모르지요 비가 많이 오는 밤 택배 기사가 죽어도 내 물건은 잘 도착해서, 새벽을 열고 한 현관문 앞에 놓여 있을 것입니다

생활 너머 어딘가에 초점을 두고 하는 이야기들이 좋았습니다

나라는 남편의 아내가 되지 못한 여자들의 웃음소리가 천국의 면적이라면, 어떤 아내의 남편이 되지 못한 나의 웃음은 쑥과 마늘 냄새 누군가 웃을 때 나는 동굴입니다 동굴 속에 울려 퍼지는 당신들의 수다 소리는 얼마나 쓸쓸합니까 쓸쓸하다는 것은 그것이 이제 나와는 무관하다는 뜻입니다

무관하다는 것, 내가 보고 있지 않은 모든 세상은, 얼마나 쓸쓸하게 거기 있을까요

그런 걸 우주(宇宙)라고 부른다지요 망원경 앞에서 그 쓸

쓸함을 바라보고 있는 자들이 천문학자라면, 시인은 자기 가슴에다 망원경을 대고 그들의 쓸쓸함을 듣고 있는 자들입니다

입장(立場)이라고 하는 바로 그 자리에서, 아무도 비켜날 수가 없습니다 나 자신을 행복이라는 말로는 도무지 설명할 수 없었던, 모든 당신들께 미안합니다

신께서 보시기에 인간은 유독 덜덜 떨고 있는 돌입니다 그것이 얼마나 갸륵하고 불쌍해 보일 것입니까 그러나 그분 또한 그저 쭈그리고 앉아 있다가 집으로 돌아가는 아이에 지나지 않을지도 모릅니다

그 작은 기적을 집안의 누가 믿어 줄 것입니까 그렇게 그는 한 인간을, 자신만의 기억으로 간직할 것입니다 내가 이미 간직되었다는 느낌을 받을 때, 사람은 죽음을 염두에 두고 살아갈 수 있습니다

나를 간직한 이들이 세상에 몇이나 있을까요 나는 사람들

에게 차갑고 조용한 돌이었으니, 이제 이곳이 점점 물에 잠겨 가는 해변이라고 해도, 아무도 내 이름을 부르며 뛰어다니지 않을 것입니다

　파도에 젖기 시작하는 행복한 돌, 그런 돌이 되기 위하여 나는 이제 어떤 기억을 결심처럼 간직해야 하겠습니까

이제 나 살고자 하는 욕구는, 흑요석처럼
얌전히 빛나고 있는, 죽음의 반물질일 뿐

나를 괴롭히는 것들은 한낱 내장에 불과할 뿐
생선처럼 필렛만 남고 싶다

죽음에 저항하기 위해 한 인간이 하루 동안 생산해 내는
환상의 양은 옥상의 푸른 물탱크 하나만큼입니다 누구라도
사랑하지 않고서는 하루도 견딜 수 없는 여자의 물탱크는
두 개, 그 어떤 누구의 미래와 희망, 천국도 결국은 물탱크
속에 갇힌 햇빛입니다

그러나 어머니의 빈 탱크, 나 온통 젖은 몸으로, 타향으로
떠날 때, 어찌나 기뻤던지, 햇볕 가득한 아스팔트를 생각하
며, 밀양(密陽), 두 사람쯤은 목숨을 끊고 갔을 거란 생각이
드는 모텔에서, 나의 자유가 어머니의 자유에 반하는 숙적
이라는 사실을 무참히 깨달으며, 나는 사탕 빠는 고아처럼
잠시나마 기뻤습니다

앞으로도 쭉 이렇게 살아야 한다는 현실에 저항하기 위해
한 인간이 하루 동안 생각해 내는 환상의 양은, 딱 자기 자
신만큼입니다 자신을 다 채워 내지 못한 날의 밤이란, 그 얼
마나 환하고도 끔찍합니까 백야는 늘 도사리고 있어서, 아
름다운 사람의 얼굴은 얼마나 그늘져 있습니까 나는 그런

여자를 보면 혼자서 애인 삼아 대화를 나누었습니다 그러나…… 그런 여자는 없었고, 파주의 둔덕 너머에서 백야처럼 도사리고 있는 어머니…… 어머니 잠 좀 주무세요 그만.

자기 자신만큼 두려운 질량은 없습니다 내가 유일하게 감각하고 있는 질량의 덩어리, 그것이 정말 현실에 지나지 않을지, 감히 꿈이라고 불러 볼 수 있을지, 그냥 몸뚱어리였겠지요, 꿈과 현실의 구분마저도 무력해지는 날에는 온갖 추억이 저수 밑에서 도마뱀처럼 기어오르고 가스를 내뿜었습니다 내 머릿속에는 기억의 내장밖에는 없어서…… 어떤 날엔 더부룩하기만 하고, 또 어떤 날엔 배가 고파 견딜 수가 없는 멍청한…… 기억이라는 내장…… 이마라는 서러운 복부 속에서 나의 진실은, 새까맣게 죽어 있는 태아입니다

진흙 같은 얼굴의 양분을 모조리 빨아 먹고, 기억은 무표정에 깊게 내린 뿌리, 무럭무럭 자라서 그늘을 만들고 열매를 매달렴. 살려 달라고 애원하며 매달려 있는 나의 시편들을…… 詩는 내 배꼽 위로 떨어져 문드러지는, 나의 과실, 나

의 결말, 파리가 날고, 파리만 한 사랑이라도 파리가 그걸 알아줘서…… 파리라도 찾아와 날고…… 쓰레기가 된 생활 (生活)을 내다 버리며 나는 어쩐지 이웃을 보면 인사하고 싶었습니다 그러나 단 한 번도 그러지를 못했습니다

매트릭스

죽음이 나를 잊었으면 좋겠습니다 잊고 있다가 불현듯 어느 날 밤 나를 상기하는 방식으로 그렇게 내가 옮겨지면 좋겠습니다

죽음은 너무도 많은 생각을 했습니다 죽음은 너무도 많은 내 주변인들을 생각했습니다 죽음은 내 말을 듣지 않는 귀입니다 생각만 하는 귀입니다 귀가 죽음입니다 죽음은

귀가 붙은 철판이 빙글 돌아가서 얼굴 내부에 갇혀 버리는 얼굴의 옆모습입니다 자기 생각의 소리만을 듣는 귀입니다 그가 너무도 많은 생각을 하고 있습니다 그날 내게 전화라도 한 통 해주었더라면⋯⋯

너무도 많은 내 주변인들을 생각하고 있던 죽음이

생각하기를 그칩니다 그럴 때 죽음의 한가운데 내가 남습니다 나만 남습니다 죽음의 생각 속에서 단 하나의 얼굴이

이곳을 올려다봅니다

아름다운 글을 쓰고 싶었으나,
아름다운 사람이 아니었음을

조성래
산문

아름다운 글을 쓰고 싶었으나,
아름다운 사람이 아니었음을

1

8년 전 어둑한 문화센터의 벤치에 앉아, 문득 시인이 될 거라는 예감이 들었던 적이 있습니다.

그 예감은 점점 소망이 되고 갈망이 되고 원망이 되어 갔습니다. 어쩌다 보니 시 하나만을 바라보고 살게 되었습니다.

제 삶과 타인의 삶은 모두 뒷전이었습니다. 그렇게 저는 모든 것을 버리거나, 한 가지에 과도하게 집착하는 사람이 되어 갔습니다.

서른이 되자 시인이 되었습니다. 이제 주변을 둘러보면 제게 남은 것은 제가 시인이 되었다는 사실뿐입니다.

모든 것은 저의 선택이었는데, 왜 제 마음속에는 억울하고 분한 마음으로 가득한 자아의 사지가 묶여 있는 걸까요.

그 분노를 설명하려다 보면, 줄줄 흘러내리는 붕대 같은 말들이 추하고 너저분해서 견딜 수가 없어집니다.

그러므로 저는 침묵하는 것이 좋고, 사람들 앞에서 침묵하고 있는 것은 또 미안하고, 그래서 그저 늘 집에서 혼자 침묵하고 있는 편이 좋습니다.

그런 제게 유일하게 말이 통하는 친구가 있습니다. 아무 말 하지 않아도, 아무 말이나 지껄여 대도 마음이 통하는 친구, 시입니다.

그가 제 말을 이해하고, 제가 그의 말을 느낄 수 있을 때까지 참 오랜 시간이 걸렸지만, 이제 우리는 친구가 되었습니다.

그러자 사람들이 저를 시인이라고 불러 주기 시작했습니다.

2

저는 시인으로서 자격이 없습니다. 저의 시가 詩로서의 자격은 있을지 몰라도, 저라는 사람이 人으로서의 자격이 없으니까요.

그러나 저는 시를 그만두지 못했습니다. 유일하게 자격 얻을 길이 있다면, 자격 미달 인간으로서의 저 자신을, 있는 그대로 쓰는 일이 아닐까 생각했습니다.

적어도 저라는 인간은, 언어의 기술과 허구의 건축 뒤에 숨어 세계를 현혹할 수는 없었습니다. 비윤리적인 저 자신을 숨기고 가짜 아름다움을 쓰는 일, 그것은 세상 사람들을 허수아비로 만드는 일이 아니라, 저 자신이 허수아비가 되는 일 같았습니다.

그러나 아무리 솔직하다 한들 사실을 있는 그대로 쓰지는 못하겠지요. 누구나 입장이라고 하는 바로 그 자리에서 비켜설 수 없으니까요. 주관적인 경험 내에서 발견할 수 있는 가장 솔직한 문장을 쓰기 위해 오랜 기간 분투했습니다.

그 진실들을 최상급의 원석이라 여기며 이 시편들을 썼습니다. 그럼에도 불구하고, 거짓된 자기 합리화가 미숙한 언어 전반에 묻어 있을 것입니다.

저는 저 자신을 감싸 줄 수 있는 유일한 사람입니다. 저의 시에 아름다운 부분이 조금이라도 존재한다면, 그것은 이 어리석은 자기 연민과 자기 미화의 흔적일 것입니다.

3

시는 제게 있어, 자기 자신과의 대화도 아니었고, 독자와의 대화도 아니었습니다. 그저 이 세계, 혹은 우주°라고 할 만한 것과의 대화였습니다.

시는, 세계와 가장 밀접하게 접촉하는 일이었습니다. 그런 완전한 밀착의 순간에 사람의 영혼은 어떤 비밀들을 깨닫게 됩니다. 가장 솔직하게 세계와 대면할 때, 세계는 비할 바 없이 아름다운 자신만의 진실을 제게 주었습니다.

그러므로 제게 있어 시는 점차 언어적 기술이 아니게 되었습니다. 기교는 그저 시를 잘 갈고닦은 자라면 누구나 누릴 수 있는 당위적 결과물일 뿐이라고 생각됩니다. 시인들에게는 그것을 얼마만큼 어떻게 사용하느냐의 문제만이 남아 있을 뿐입니다. 제게 있어 시는

세계라는 거울에 대하여—어떻게 하면 더 정면으로 쳐다볼 수 있는가, 어느 정도까지 도달해야 정말 나 자신이라고 할 수 있을까, 그렇다면 어떻게 살아야 하고 지금 나는 어떻게 살고 있는가,

와 같은 것들에 관한 문제였고, 자연스럽게 저는 감히 시와 제 인생을 온전히 일치시키는 데 온 힘을 쏟았다고 말할

수 있습니다. 그렇게 이룩한 것이 고작 이 초라한 수십 장의
시편들뿐이라는 것이

그간 저를 지켜봐 온 하느님 보시기에 참으로 민망해 보일
수도 있겠습니다. 이 부족한 한 권의 시집을 위해, 그간 버려
오고 피해 오고 씻을 수 없는 상처를 주었던 것들이 얼마나
많을까요.

시는 제게 있어 유일한 숨통이었습니다. 호흡기처럼 제게
안정을 주는 것이 바로 시 쓰는 일이었습니다. 언제나 제가 돌
아갈 곳은 시밖에 없었습니다. 시 덕분에, 몇 번이고 끝날 수
도 있었던 삶을 이렇게 연장하고 있다는 생각입니다.

이 호흡기만을 가장 소중하게 여기는 마음으로, 저는 사람
들을 쉽게 떠나왔습니다. 책임을 다하지 못했고, 따뜻하지 못
했고, 사람을 돌보지 못했습니다. 언제나 도망치는 인간이었
습니다. 여기 쓰인 모든 시들은 그렇게 쓰인 부당한 기록입
니다.

저의 거울이자 제 세계의 창문인, 이 시집이 이러한 사실
들을 오랫동안 기억하고 있을 것입니다.

° 여기서 우주가 뜻하는 바는 다음과 같다. A) 세계의 총체이자, B) 그 총체
가 반영된 내 마음의 모든 것. A의 경우 나는 한낱 먼지 같은 존재에 불과하
며, B의 경우 나는 이 세상 모든 것들의 신(神)이다.

4

크리스토퍼 놀란 감독의 영화 <인터스텔라>에서 어린 딸인 머피는 자신의 이름을 왜 하필 머피로 지었는지 아버지 쿠퍼를 원망합니다. 그때 아버지는 딸에게 이렇게 말해 줍니다.

'머피의 법칙'이 가진 말의 뜻은, 안 좋은 일이 일어난다는 뜻이 아니라, 일어날 일은 일어난다는 뜻이라고. 그리고 그걸 따서 네 이름을 지은 건 아니라고.

저는 과학 이야기에 관해 읽고 듣는 것을 좋아합니다. 모호한 안개 같은 지식뿐이지만, '일어날 일은 일어난다'는 양자역학의 해석을 저는 믿습니다.

일어날 일은 이미 다 일어나 있다는 걸 저는 신앙합니다. 일어날 수 있는 모든 갈래의 모든 일들이 한꺼번에 존재하고 있음을, 그중에서 단 한 갈래 나만의 길, 그 외롭고 고단한 시간 속에 내가 흐르고 있음을 저는 느낍니다.

그러므로 내가 나라고 하는 사실은 외롭지만 특별합니다. 이 돌이킬 수 없는 단 한 번의 길이 결국 올바른 결말을 향해 나아가고 있는 것인지, 간절히 희망하지만 또한 알 수 없는 일입니다.

그러나 모든 것은 기억될 것입니다. 우주 끝의 날까지 사라지는 것은 없으며, 시간이 존재하지 않는 세계에서 모든 것이 동시에 살아 숨 쉬고 있을 것입니다. 그곳에서 모든 것은 정보로서 소실되지 않을 것입니다. 이것이 저의 신앙입니다.

첫 시집을 준비하며 시집이라고 하는 공간은, 그런 곳과 무척이나 닮았다는 생각을 하게 됩니다. 저의 삶이 영원히 반복되고 반복되는 가운데, 조금씩이라도 고쳐지기를 소원합니다.

모든 순간의 머피의 방이 책장처럼 끝없이 펼쳐져 있는 테서랙트 속 쿠퍼처럼

후회와 기쁨의 순간들을 고르고 또 골라내며

저 너머 세계에 펜 끝을 대서라도 수정할 수 있는 시간이 있다면,
그러나 이내 수정을 포기하고

기록을 택하는 기형도의 서기관°처럼

° 「기억할 만한 지나침」, 기형도.

타이피스트 시인선 003

천국어 사전

1판 1쇄	2024년 6월 10일
1판 2쇄	2024년 6월 24일
지은이	조성래
펴낸곳	타이피스트
펴낸이	박은정
편집	박은정
디자인	장혜미
출판등록	제2022-000083호
전자우편	typistpress22@gmail.com
ISBN	979-11-986371-4-7